학기,
활동
날.
어떻게 된 거야?!
지정한 이벤트 신과 달라졌잖아!
카스미가오카 우타하!
이게 대체 어떻게 된 건지 설명해 줄 거지?
…이 정도의 사소한 시나리오 변경에 일일이 보고, 연락, 상담이 필요한 거야?

뭐?!
멋대로 남의 이름을 날조하지 마!
이번 일로 당신에게 폐를 끼쳤다고는
눈곱만큼도 생각하지 않아.
비유를 하자면 네 브래지어 안의 패드 속에 잠들어 있는
부풀려다 말라비틀어진 어느 부위만큼도 말이야.
그렇게 생각하지 않아? 카와무라 스파이더 키라리 양?
그리고 나는 아직 그 캐릭터 명칭에 납득하지 않았거든?!

1

히로인
시원찮은 그녀를 위한
육성방법
Girls Side
걸즈 사이드

다시 묻겠어,
카스미가오카
우타하….
왜 이렇게
대대적으로
시나리오를
뜯어고친 거야?
사와무라 스펜서
에리리

애초에
그 생각부터
잘못됐어.
나는 미세한
튜닝만 했거든.
카스미가오카
우타하

유원지 이벤트는 풀장과 귀신의 집, 이렇게 두 개 뿐이잖아?
그런데 왜 귀신의 집이 없어지고 관람차 이벤트가 추가된 건데!
그건 지금 있는 소재로도 어떻게든 되잖아?
딱히 당신한테 민폐를 끼치진 않았어.

이미 민폐거든?! 모처럼 준비한 귀신의 집 배경이 쓸모없어졌잖아!
배경 하나 가지고 너무 호들갑이네.
그것만이 아니야! 내 배경 스케치가 세 장이나 날아갔어!
그 스케치 세 장은 좋은 작품을 위한 희생이라고 생각해.
그건 안 돼! 『카스미가오카 우타하 때문에 헛수고를 했다』 라는 사실이 내 의욕을 밑도 끝도 없이 떨어뜨린다고!
아키 토모야

그리고 나는 사와무라 양의 스케치를 헛되이 한 적 없거든?
오히려 폐기될 뻔한 걸 이렇게 활용해줬으니까 감사하는 게 어때?
카토 메구미

뭐? 그게 무슨 소리야?
이 관람차 신이 배경 소재 안에 존재했거든.
이것 봐.
팔랑
※프린트 했음
!!!

어, 어, 어어어어엇?!
…역시 이 스케치는 너에게 있어 S레어급 비밀이었나 보네.

토토토토토,
토모야!
이 그림이
왜 카스미가오카
우타하한테
넘어간 거야?!
으, 응?
저걸 보낸 적도,
서버에 올린 적도
없는데….
윤리 군은 경솔하네….
자기가 지난주에
엄청난 시큐리티 홀을
열었다는 걸
아직 이해 못했구나.
지난 주?
지난 주면….
아앗?!
START
이런 허술한
앵글의 사진으로
배경을 그리라는
거야?!
그날
그럼 네가
직접 찍어!
싫어!
더워!
슬슬
새로운
배경이
필요해.
아,
배경 폴더에
있으니까
대충 가져가요.
그러니까….
모델이 되어 주면
아까 일은
용서해 줄게
찌릿…
자,
안경 벗어.
응…?
그래….
그 안에
그 그림이…!

울먹 울먹
토, 토, 토,
토모야아아아~.
미안해,
에리리!
윤리 군이
사과할
필요 없고,
사와무라 양이
한탄할 필요도
없지 않아?
봐봐.
엄청 멋진 표정을
짓고 있잖아.
이 세이지의…
모델이 누구인지는
모르지만 말이야.

모모모,
모델 같은 건
없어!
이렇게 멋진 그림을 본
내가 영감을 느끼고
관람차 이벤트를
쓰는 건
어쩔 수 없는 일
아닐까?
하, 하지만
그 그림은…!

애초에 내가 지정한
이벤트의 문장 콘티와
전혀 다른 그림을
그렸잖아?
왜 그런 건지
설명해줄 거지?
사와무라 양.
이, 이 정도
사소한 신 변경에
일일이 보고, 연락,
상담이
필요한 거야?!
아아, 정말!
그만해,
그만해,
그만해~!

결국 오늘
서클 활동도
평소와 마찬가지네,
아키 군.

츠응
…그러게.

일단
카스미가오카 선배의
시나리오도
진행되고 있고
사와무라 양의 그림도
스케줄대로 진행되고
있으니까
아직은
걱정거리가 없네.
응, 순조로워.
뭐,
정말
대단하긴 해.
그 참상을
완전히
무시해버리는
카토의 총괄
평가가 말이야.
카메다 커피

뭐,
그 두 사람이
그러는 건
이 서클의
구조적으로
어쩔 수
없는 거잖아.
그래도 서클을
결성한지
반년이 다
되어 가잖아?
슬슬 친해질 때도
된 거 아니야?
하지만
그 두 사람은
지금까지
사력을 다해
서로를
밀어내기 위해
다퉈온 역사를
지니고 있는 것
같은 느낌이
드는 것 같고
우물우물
그 싸움은
지금도 계속되고
있는 것 같은
느낌이 들어.

카토.
왜?
그
두 사람은
움찔
대체 언제
아는 사이가
됐을까?
올해 봄에 내가
한 자리에
부르기 전부터
서로를
아는 것 같았고
그 즈음부터
엄청 서로
적대시―.
왜 그래?
으음, 진짜로
자초지종을
알고
싶은 거야?
하아~
아니, 그냥,
좀 흥미가
있는 것
뿐이야.
그런 사소한
호기심 때문에
열어도 되는
판도라의 상자가
아니라고
생각하는데.
저기, 카토.
상자에
그 고유명사를
붙이는 건
여러모로
좀 그렇다고
생각하거든?

다시 물을게, 아키 군….
정말, 그때 일을 알아도 괜찮겠어?
무슨 일이 일어나더라도 사실을 있는 그대로 받아들일 거지?
휘이이이이이이이이이이잉
너, 너. 혹시 무슨 이야기라도 들었어?
아니, 아무것도 못 들었고, 아무것도 모르고, 알고 싶지도 않아.
왜냐하면 들었다간 여러모로 골치 아파질 게 분명하거든.
그럼 그런 의미심장한 소리 좀 하지 말아줄래?!
이제부터 시작되는 것은 『내가 모르는 세계』의 이야기.
…혹은, 『내가 몰랐으면 좋았을 세계』의 이야기.

1년 전
9월 중순….

진짜로 들어왔네….
그것도 두 권씩….
사랑에 빠진 메트로놈 1
사랑에 빠진 메트로놈 2
펄럭…
바보 아니야?
카스미가오카 양.
저기, 카스미가오카 양.

폐관시간 다 됐는데….
그건 그렇고 이런 일도 다 있네.
카스미가오카 양이 도서실에 오다니 말이야.
사랑에 빠진 메트로놈

거의 1년 만이야. 여기 있는 책은 입학하고 반년 만에 대부분 읽었거든.
그, 그랬구나. 소문대로 독서가네.

그냥 한가했을 뿐이야….
작년까지는 말이야.

아.
그러고 보니 연극부 각본을 맡기로 했다며?
평판이 좋다고 들었어.

그것도 심심풀이 삼아 맡은 건데
시기를 좀 잘못 맞춘 것 같아.
시기?

마감이라든가, 연재라든가….
뭐, 신경쓰지 마.
응? 흐음.
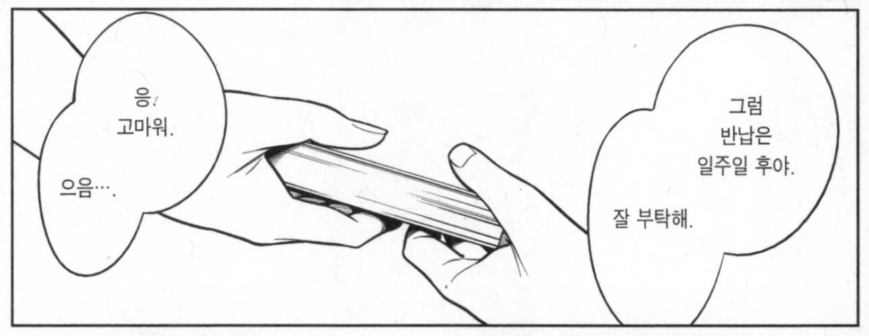
그럼 반납은 일주일 후야. 잘 부탁해.
응. 고마워. 으음….

…사카구치 마스미라고 해.
2학년 D반이야.

…고마워, 사카구치 양.
같은 반이구나….

그건 그렇고 좀 의외야.
뭐가?

사랑에 빠진 메트로놈
카스미 우타코
…아, 응.
카스미가오카 양은 이런 책도 읽는구나.
그러고 보니 이 책은 지난 주에 들어온 건데
도서위원들 사이에서 전부터 꽤 화제가 되던 거야.
흐 흐음.
1학년의, 이름이 뭐더라?
유명한 오타쿠 남자애 있지?

뭐?
?
휙
나는 사람 이름을 잘 외우지 못하거든.
…나도 몰라.

아키 토모야.

그, 그렇구나….
아무튼 그 남자애가 몇 번이나 선생님을 찾아가서
『이런 명작이 학교 추천 도서가 아닌 게 말도 안 된다』
『장래의 나오키상 작가의 작품이니 도서실에 비치되어야 한다』 같은 소리를 하며 추천을 했거든.

흐
흐음….
도, 도서실에? 『사랑에 빠진 메트로놈』이 말이야?
예! 9월에 드디어 비치될 거예요!
…토모야 군, 이번에는 또 무슨 짓을 한 거야?
저는 아무 짓도 안했어요.
아무 짓도 안 했는데 학교에 라이트노벨이 비치될 리가 없거든?
에이~, 『가프스 전기』나 『지라이어즈』 전권이 다 있는데요?
레전드와 비교하면 어쩌자는 거야.
나는 신인 작가에 도 두 권밖에 안 냈어. 게다가 그 책도 언제 조기 완결될지 모르는 데뷔작이란 말이야.
가프스 전기 3
가프스 전기 2
가프스 전기 1
지라이어즈 15
지라이어즈 14

이야~, 우리 학교도 선견지명이 있는 것 같아요~. 장래의 나오키상 수상 작가의 책을 이렇게 빨리 구비했잖아요.
…알았어. 즉, 그런 말로 학교 측을 설득한 거지?
…선배, 가만히 있어도 좋은 작품이 팔리는 시대는 이미 지났어요.
즉, 그런 짓을 한 거네?
지금은 그 어떤 명작일지라도 홍보를 해야만 한다고요!
설령 아무리 스토리가 멋지고 캐릭터가 끝내주며, 스무 번 넘게 읽었는데도 여전히 눈물이 줄줄 나는 작품이더라도
우선 독자들이 접하게 하지 않는다면 말짱 꽝이라고요!
아 아 아 아 화 아
아 아
우, 우와아…
알았으니까 이제 그만해.
아뇨. 계속 할 거예요.
몇 번이든 말해 주겠어요.

카스미 우타코의
『사랑에 빠진
메트로놈』은
엄청난 걸작이에요!
이걸 읽지 않는
녀석은 인생의
120%를 손해보고
있다고요!
그러니까 저는
주저 없이
이 책을 포교할 수
있어요!

카, 카스미가
오카 양?
헉
?!

…무슨
일이
고오오오
야?
오오오오
아,
아무것도
아니야!
그럼 나는
가볼게.
으, 으응.
잘 가,
카스미가
오카 양.
부들
부들
…어머?
이번에는
또 뭐야?
아, 혼잣말
이야….
이 책은
역시 인기
있나 보네.
들어온 지
일주일밖에 안 됐는데
카스미가오카 양이
세 번째로 빌려가는
사람이야.
그게
무슨
소리야?
뭐…?

세 번째
독자….

한 사람은
나니까 제외.
다른 한 사람은
나의 열광적인
팬이야.
하지만
마지막 한 사람은…
내 작품의 독자라기에는
이미지가
등록 번호
청구 번호
저자명 카스미 우타코
제목 사랑에 빠진 메트로놈
대출일
반납 예정일
반납일
소속
대출자 성명
아키 토모야
카스미가오카 우타하

입학 직후
전람회에서 입상한
미술부의 슈퍼 루키.
토요가사키 학원
『2대』 미소녀 중 한 명.
그리고 상류층
영국 외교관의
무남독녀.
당신이
카스미가오카
우타하?
그런 엄청난
이미지를 지닌,
교내에서 손꼽히는
화제의 인물.
그런 사람이
왜….

이
소녀가….
사와무라
스펜서
에리리… 양?

세 번째
독자.

흐음,
내 이름을
아는군요.
정말 영광이에요,
카스미가오카
우타하… 아니,
카스미가오카 선배.

저도 당신을
알아요.
전교 1등을
놓치지 않는 수재이자
남들이 다가오는 것을
거부하는 냉혈녀.
그 어떤 남자가
다가와도
절대 아는 척을
하지 않을 뿐만
아니라
두 번 다시
말 걸
생각이 들지
않을 만큼
박살을 내주는,
통칭 암흑소녀.
…그게 뭐
어쨌다는
거지?

아,
그게….
선배가 얼마나
대단한 사람인지
조금 흥미가
생겨서요.
으윽….

?

토요가사키 2대 미녀는 두 명이나 필요 없어!

후훗.
내 작품에도 이렇게 전형적인 『마지막에 패배하는 캐릭터』는 나오지 않아.
표현이 이상하네ㅋ
윽….
뭐가 그렇게 우스운 거죠?

아, 미안해. 딴생각을 했어.
그리고 한 가지 더 사과할게.
나는 네가 관심을 가질 만큼 대단한 사람이 아니야.
미안하지만 먼저 실례할게.

아뇨. 저는 아직 본론에 들어가지도 않았어요.
저는 오늘 당신에게 충고를 하러 온 거예요.
카스미가오카 선배.
충고…?

당신 같은 사람이
시원찮은 오타쿠
남자 후배와
친하게 지내는 것은
여러모로 문제가
있지 않을까요?
…뭐?

제 눈으로
똑똑히
봤어요.
여름 방학 전,
당신이
토모…
1학년 남자애와
도서실에서
한 시간 넘게
이야기를 나누는
모습을요….
■END■

2
지금까지
그 어떤 남자한테도
흥미가
없었으면서….
대체
왜….

…그게
뭐?

…
자신한테
간섭한 사람을
얼음덩어리로
만든다는….
이게 소문으로
들었던
『흑발 롱헤어
설녀』.
…역시

거, 거봐. 역시, 알려지면 곤란한 거지?
그런 바보와 그렇고 그런 사이라는 오해를 사는 건, 당신한테 있어서도 득 될 건 없잖아.
논리 파탄&어린애의 험담
뭐… 오타쿠에, 시원찮을 뿐만 아니라, 오타쿠에, 바보에, 오타쿠에, 억지스러운 녀석과
같이 하교하다 소문이라도 돌면 부끄러울걸?
별로. 나는 무슨 말을 들어도 상관없어.
하지만, 토모…
나의, 으음, 그러니까
어린애의 변명
지인에게 피해가 가는 건
두고 볼 수 없어.

나옹~
호랑이
화륵~
용
팟작
팟작
팟작
팟작
팟작
팟작
팟작
파직
여자들의 싸움
흥
…『사랑에
빠진
메트로놈』
이지?
윽….
너희들,
실은 오타쿠
동료인
거잖아….
의외였어.
카스미가오카
우타하가
라이트노벨을
보다니
말이야.

뭐, 딱히 나쁜 건 아니야.
사람마다 취미는 다르고, 지금은 오타쿠도 흔하잖아.
아하….
하지만 그 바보는 관두는 편이 좋지 않을까?
당신한테는 아무런 메리트도 없을 뿐만 아니라, 평판만 나빠질걸?
나를 염탐하려고 책을 빌린 거구나.
두
둥

사와무라 양은 괜한 수고를 들이는 걸 좋아하나 보네.
괜히 사실여부를 확인할 필요 없이, 괴문서를 뿌리거나 소문을 퍼뜨려서 나한테 대미지를 주면 되잖아?
아까도 말했지?
나는 당신한테 상처 입힐 생각은 없어.
그저 상처가 깊어지기 전에 관두라고 충고하는 것뿐이야.

당신한테 그런 걱정을 받을 이유는 없어.

…그게 무슨 소리야?
혹시 오해가 아니라고 우기려는 거야?

그런 건 아니야. 그저 당신에게 할 이야기가 없다는 거야.

자신의 현재 위치를 버리면서까지 『사랑메트』 클러스터를 택하겠다는 거야?!
…잘 들어, 사와무라 에리리.
나는 평판이나 소문, 그리고 남들의 평가 같은 것엔 관심 없어.
그럼 일개 오타쿠에게 구애될 이유도 없잖아!
…당신은 이해 못해.
영원히 말이야.
…그 말은 무슨 뜻이야?

주제넘은 발언.
잘 알지도 못하면서 입에 담은 폭언.
겉모습만 꾸며대고, 거짓 미소를 지어대며
본심조차 말할 수 없는 친구라는 이름의 들러리를 데리고 다닐 줄 밖에 모르는 당신은 이해하지 못할 거라는 말이야.
당신과 그와는 아무런 접점도 없잖아?
당신이 나를 싫어하는 건 상관없어.
하지만 나를 싫어한다고 해서 그를 나쁘게 말하는 건 용서 못—.
…그 오타쿠를 좋아하는 거야?
움찔

갑자기
패배자가
되어버린 듯한
표정….
나는
그 표정을 보며
후회와 불안을
느끼고 말았다.
그녀는
마치 히로인처럼
찬란히 빛나고
있었다.
그런 이원론으로
구분하려 하는
속물보다는
훨씬 호감이 가.
그럼
이번에야말로
안녕.
토모야는…
너한테
관심이 있는 게
아니야.

…이야기는 끝났다고 했지?
그 녀석은 영원한 2차원 오타쿠인걸….
그 녀석이 좋아하는 건 화면 속 상대 뿐이야. 『사랑에 빠진 메트로놈』이라는 작품뿐인 거야.
이야기를 나눌 생각이 없다고 말했을 텐데?
이제부터 듣게 될 말이 무섭다.
그저 동료를 소중히 여기는 거야.
함께 같은 작품을 사랑하고, 즐기며 이야기를 나누는
쭉 함께 오타쿠로 있어주는 친구를 원하는 거야.

그러고 보니 아직 자기소개를 안 했네.
뭐?
윽….
작품의 등장인물과
작가뿐이야.

나는
2학년 D반,
카스미가오카
우타하….
앞으로
잘 부탁해.
놈
1
F
카스미우타코
FFN
그리고
펜네임은
『카스미
우타코』야.
뭐….

뭐
어어
어어~?!

우와아
아아~!
왜? 왜?!
우리 학교에
카스미 우타코가
있는 거야
아아아~?!
데굴
데굴
데굴
데굴

사랑에 빠진 메트로놈
카스미 우타코
판타스틱 문고
사인을 못 받았어….

덜컹

두달전
7월 중순
…다행이야. 라이트노벨이네.
이거라면 아무한테 안 들키고 가져갈 수 있겠어.

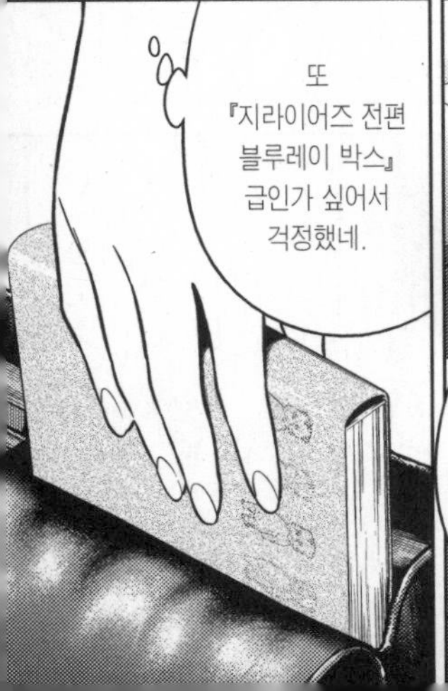
또 『지라이어즈 전편 블루레이 박스』 급인가 싶어서 걱정했네.

이 라이트노벨을
로커에 넣어둔
오지랖 넓은 녀석의
이름은 아키 토모야.
초등학생 때
절교했고
중학생 때
어이,
이제 그만
어른이 되자고.
…하며 사과했기에,
이런 식으로
오타쿠 아이템의
포교 정도는
허락한 사이.
그러고 보니
첫 선물도
블루레이
박스였잖아.
헤
벌
쭉
정말,
내용물을 분할해서
넣어두란 말이야.

어머?
사와무라 양?
움
찔
아직
안 돌아갔던
거야?
응.
오늘 안에
밑그림을
완성하고
싶어서.
흐음,
고생이 많네.
이번 전람회는
여름방학 때지?

시바하라
양이야말로
농구부 전국대회
예선이 얼마 남지
않았잖아?
방그으으으읏
힘내.
으으으으
상류층 아가씨 모드
어머,
사와무라 양도
지금 돌아가는
거야?
선배님….
두 분이야말로
이제
하교하시나요.

금발에 혼혈
상류층
아가씨.
누구나
상냥하게
대하는
『외교 모드』.
동급생,
선생님을
가리지 않고
항상 사람들이
주위에
몰려든다.
하지만
…
교문
밖에서는
절대 함께
지내지
않는다.
그렇다….
그날부터….

나에게는
진정한
친구가 없다.

『사랑에 빠진 메트로놈』…?
처음 듣는 타이틀이네.

카스미 우타코…. 신인 작가구나.
토모야가 추천한 거니까 꽝은 아닐 거야.
제40회
판타스틱
기대되는 신인 데뷔!

그 후로 나는 완전히 빠졌다.

출판사 홈페이지를 체크해서 2권이 나왔다는 걸 알자마자 아마○ 프리미엄으로 주문했고

도착할 때까지 기다릴 수가 없어 전자책을 구입해서 순식간에 읽었으며,

거금을 들여 인터넷 옥션으로 매장 특전을 구매했을 뿐만 아니라

사인회 정리권 배포가 종료됐다는 것을 알고 피눈물을 흘렸다.

며칠 후.
7월 중순.
도서실
스읍
하아

아키 군이라면
방과 후에는
도서관에
틀어박혀
있는 것 같아.
왜 그런 걸
묻는 거야?
아,
소문이 자자한
문제아 오타쿠가
이 반이라는 게
문득 생각났어.
사와무라 양이
나한테 말을
걸었어~!
은근슬쩍
토모야의 반
애들에게서
알아낸
정보에 따르면
그는
분명
이곳에
있다.

도서실
…좋아.

마지막으로
한 번 더
시뮬레이션을….
으음,
『사랑에 빠진
메트로놈』을
읽어봤어….
포교할 거면
2권도 같이
줘야할 거
아니야.
나,
사유카도
좋지만,
마유이가 더
좋아.
밤을 새며
고민한
첫 한 마디….
할 수 있어….
할 수 있어….
할 수 있어….
지금이
기회야….
꾸욱
우리를 다시
이어줄 건
『사랑에 빠진
메트로놈』
뿐이야.
용기를
내자.
끼
미
미
익
실례
할게요.

도, 도서실에?
『사랑에 빠진
메트로놈』이
말이야?

WcDonald's
푸읍!

시간이 흘러 9월
콜록
콜록
뭐 하는 거니? 정말 못 말린다니깐.
그, 그 이름이 왜 튀어나오는 거예요?
…왜 그렇게 동요하는 거야?
아니, 그게… 저랑 전혀 상관이 없는 사람이니까요.
사와무라 에리리 양은 토요가사키 학원에서는 모르는 사람이 없을 만큼 유명하잖아.
그래도 반응이 너무 과하지 않아?
하지만 반도 다르고
취향도 다르고, 자라온 환경도 다르잖아요….
저 같은 오타쿠가 흥미를 가지는 게 이상하잖아요.
사와무라 스펜서 에리리한테요.

그 스펜서가
그녀의
미들네임이야?
예.
아버지의
성이에요.
사와무라는
어머니의
성이죠.
그 녀석의 아버지는
영국 대사관에서
일하는데,
일본에 머물게 된 후로
어머니와 만났….

…아.
…흐음,
그렇구나.
….
…저기,
우타하
선배.
왜?

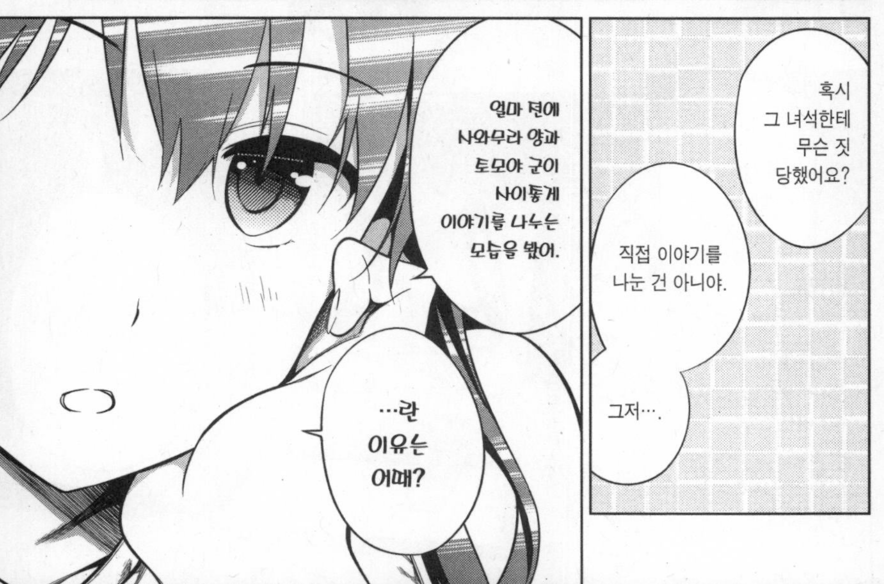
혹시
그 녀석한테
무슨 짓
당했어요?
직접 이야기를
나눈 건 아니야.
그저….
얼마 전에
사와무라 양과
토모야 군이
사이좋게
이야기를 나누는
모습을 봤어.
…란
이유는
어때?

에이~, 선배.
그런 식으로 떠봤자 안 통해요.
…들통났네.
그 녀석은 학교에선 절대 저한테 말 안 걸고
볼일 있으면 문자로 연락하거든요.
게다가 엄청 짤막 하다고요.
대체 나를 얼마나 싫어하는 건지….
움
찔

움찔
…선배?
저… 혹시 선배를 화나게 한 거예요?
괜찮아…. 전혀 신경 안 써.
탁
탁
탁
탁
탁
탁
탁
탁
탁
탁
탁
탁
격렬하게 발을 떨고 있음

미술실
다음날
부들
부들
부들
부들
부들
카,
카스미가오카
선배가…
사와무라
양에게요?

미술실
그래.
그러니까
들여보내
주지 않겠어?
부들
부들
부들
부들
부들
저저저저저
저기,
무슨 볼일
이세요…?
휘미미미미미밍

별거 아니야.
그냥
이야기를
좀 나누고
싶을 뿐이야.
히익?!
아무튼
들어가겠어.
드르르륵
앗,
잠깐만요!

…아무도 없네.

사와무라 양이 있다고는 한 마디도 안 했잖아요!
하지만 부활동은 하잖아?

…아마 제2준비실에 있을 거예요….

준비실?
제2미술준비실

예. 이 방에 혼자 틀어박혀서 작업을 하거든요.
보통은 선생님이 수업에 쓰는 곳이지?
제2미술준비실

아, 그건 제1미술 준비실 이에요.
이 방은 미술부의 부실이었는데
사와무라 양이 입부한 후로는 그녀의 개인실처럼 쓰이고 있어요….

뭐? 부모가 비싼 그림이라도 기부했어?
아, 그게 아니라….
…1학년때 입학 직후 전람회에서 입선을 하면서 학교 측에서 특별하게 대하고 있거든요….
…용케도 사이좋게 지내네.

발그레
그야 사와무라 양은 상류층 아가씨인데도 사교성이 좋고 누구에게나 상냥 하거든요….
…흐음, 그렇구나.

게다가 본인도 미술품 같은 존재니까요.
….

…그래. 그래서 다시 한 번 보고 싶은 거야.
드르르륵
그, 그럼 하다못해 노크라도….
…!
…이게 뭐야?

카시와기 에리

카시와기…
카시와기 에리
에리?
■END■

그, 그럼
하다못해
노크라도….
필요 없어.
상대가 먼저
내 영역에
멋대로
침입했는걸.
오들
오들
!

…이게
뭐야?

카시와기 에리
카시
와기…
에리?
너도
우리 쪽…
이었어?

3

ogre | egoistic-lily

約 件

egoistic-lily - 카시와기 에리

…그대로잖아.

….
톡
…실력
좀 볼까.

….

…윽.

…!

아.
예,
그거예요.
어느새 나는
마치다 씨에게
인터넷 옥션을
대행 구매를
부탁했다.
찾았어.
이거구나.
egoistic-lily
선○리 신간 보너스
카피지
사랑에 빠진 메트로놈
마유이 책
19금 동인지.
시~ 양은
아직
미성년자니까
주위 사람들에게
비밀로 해줘.

그런데
얼마까지
낼 거야?
….
5만 엔.
오만….
현재 입찰
가격의
열 배잖아.
괜찮겠어?

그리고….
얇
팍
…

도착한 책은 정말 얇았다.
총 8페이지…. 만화 부분 6페이지…. 스테이플러로 찍어서 만든 거네….
추우우우 우우웅…

하지만
그 내용은 절대 얄팍하지 않았고…
작품에 대한 사랑으로 가득 차 있어서…
팔랑
원작자인 나 또한 자연스럽게 빠져들고 말았다….

제2미술준비실
두리번
두리번
…아무도
없네.

일전에는
방심했어….
착
착
저기, 사와무라 양.
어제 2학년 선배인
카스미가오카
선배가
당신을 찾아왔어.
내가 막기는
했는데,
멋대로
제2준비실에
들어가지
뭐야….

그…
그랬구나….
당신도
안을 봤어?
삐질
삐질
어?
들어가도
되는 거야?
부원이라면
안 들어왔을
텐데
하필이면
그 여자에게
내 정체를….
와
아
아
아니,
그건 자제해
줬으면 해.
집중하고
싶거든.
삐질
아
아
아
아
아

안녕,
사와무라 양.
꺄아아아아아아아아

카…
카스미가
오카
우타하?
이렇게
늦은 시간까지
부활동을
한 거야?
대단하네.
전람회가
임박한 거야?

아니면
동인 이벤트
라도
나가는
걸까나?
…카시와기
에리 선생님.
고오
윽~~~?!

왜, 왜 아직 학교에 있는 거야?! 이 스텔스 흑발 여자아아아앗!
선배에 대한 그 무례한 발언에 대해서는 나중에 천천히 검증하도록 하고
자기 교실에서 나왔을 뿐인데, 이런 불평을 듣는 건 좀 부당하다고 생각하거든?
뭐?
어?
제2미술 준비실과 계단을 사이에 두고 있는 건너편
저기가 내 반이야.
2-D
두-둥
뭐?!

몰랐어….
이렇게 가까운 곳에 천적이….

뭐, 당신이 나올 때까지 기다린 건 맞아.
한 번 더 이야기를 나누고 싶다고 전부터 생각했거든.
그
그 말은….
흠칫!

맞아.
당신이 지닌 『또 하나의 얼굴』에 대해 이야기를 나누고….
『정체가 알려지는 게 싫으면 시키는 대로 해』라면서 협박을 하려는 거지?
…뭐?

네가 히죽거리면서 신호를 보내면, 교실에서 양아치들이 쏟아져 나와서…!
헷 헷 헷
이야, 진짜냐…. 얘는 미술부의 사와무라잖아.
헷 헷 헷
설마 이런 아가씨를 마음대로 해도 되는 날이 올 줄이야…. 끝내주네.
헷 헷 헷

그래. 재가 평소 그리는 능욕 동인지에 나오는 것처럼 해줘.
진짜로 덮쳐도 되는 거예요? 우타하 누님?
찌직
찌직
찌직
찌직
찌직
그, 그리고 내가 유린당하는 모습을 보며 흥분한 너는 남자 위에 올라타고 격렬하게 허리를 흔들어대겠지.
…아아, 상스러워라.
안 돼, 안 돼…. 나는, 순결을 바칠 상대를 이미 정해….
아앗, 머릿속에서 네임 작업이 완성됐어!
그리고 남한테 음란 걸레 역할을 맡기지 말아 줄래?
진정 좀 해, 이 망상 에로 아가씨야!
표지 컬러 / B5 / 24페이지 / 인쇄본
타이틀은 『에리와 눈의 창녀』
저기, 사와무라 양? 나는 딱히 그럴 생각이….

여기는
아직 밝네.

나, 나를
이런 곳에
가둬놓고
무슨 짓을
하려는 거야…?
제2미술준비실
그런
소리 좀
그만해.

너도
진정 좀
하지 그래?
멋대로
들어오지 마.
멋대로
둘러보지 마.
느긋하게
여유부리지 마!

…아무리 사립고라고 해도 여기는 미술실의 일부니까, 그 어떤 학생들에게도 개방되어 있는 공공시설일 텐데? 문제가 있는 건 그런 공공의 장소에 자기 물건을 잔뜩 갖다 둔 걸로 모자라 기득권을 주장하고 있는 미술부 부원에게 있지 않을까?

그리고 학교 안에서 이렇게 『남들에게 보여주면 곤란해지는 그림』을 그리는 게 문제 아닐까? 이렇게 기묘한 성적 취향을 가지게 된 경위와 앞으로의 미래에 대해 걱정이 되지 않는 건 아니야. 당신, 혹시 과거에 엄청 심각한 성적 트라우마를 경험했던 거 아니야? 당신이 그리는 동인지에 나올 만한 일 말이야.

궁시렁 궁시렁 궁시렁 궁시렁 궁시렁 궁시렁 궁시렁

계속
라이벌의
비밀을
움켜쥐고
협박해댄
거지?!
울컥
울컥
울컥
그런 짓을 한 적은
없는데…
하지만 당신처럼
멋대로 자멸하는
패배자 기질의
소유자가
경쟁 상대라면
여러모로 편해서
좋긴 하네.
울컥
뭐,
뭐뭐뭐
뭐뭐뭐….
우, 우엥,
우에엥….
….
…실은 요즘
그녀가 그린
그 동인지를
항상 가방에
넣고 다녀.

내 작품을 읽어주고,
2차 창작을 할 정도로
좋아해준 것을 감사하고
운이 좋으면
사인을 받고,
운이 더 좋으면
예전 일을
전부 잊고 화해…
…할
생각이었는데
그럴
작정이었는데….
그런데
이 애가 너무
피학적이라
대앵
대앵
부들
부들
부들
부들
부들
부들
부들
부들
사디스트적인
본성을
주체할 수가
없어!
근질
근질
근질

아, 아무튼
그만 울어.
…손수건
빌려줄게.
됐어….
나도 있어.
고급
브랜드….
찰
칵
이유가
뭐야?
뭐가?
사와무라 양은
왜 숨기고
있는 거야?
동인활동을
한다는 걸
말이야.
그러는 당신도
라이트노벨
작가라는 걸
숨기고 있잖아.

아니, 용기 있는 사람이 없을 뿐이야.
나는 숨기는 게 아니야. 그런 개인적 사정을 나한테 물어볼 만큼 간이 배밖에 나온…
딱 한 사람을 제외하고
…그건 으스대며 할 말이 아니네.
나와 비슷한 처지구나….
상식적으로 생각해봐….
내가, 사와무라 에리리가, 에로 동인지를 그린다는 걸 이제 와서 어떻게 이야기해?
…모에 그림을 그리기 시작한 건 초등학교 2학년 때부터야.
그럼 처음부터 이야기하면 되잖아.
입학하자마자 커밍아웃을 하고, 애니메이션 동호회에 들어가는 거야.
네 실력은 고등학교 들어와서 취미로 시작한 수준이 아니잖아?
그 정도 커리어면, 더욱….

오타쿠 차별의
뿌리는 깊어.
그런 고리타분한
가치관은 요즘엔
유행 안 해.
…….
꾸욱…
!!!

오타쿠는 충분히
시민권을 얻었어.
그리고
차별받는 쪽에 서서
남들이 익숙하게
만드는 방법도
있잖아?
당신처럼 마니악하고
은퇴가 불가능한
중증 오타쿠라면,
그 편이 행복하지
않을까?

나는…
어릴 적부터
다른
누구보다도
오타쿠가
어울리지 않았어.

그래서 겉모습이
오타쿠처럼
보이는 애보다
오타쿠가
안 어울리는 인간이
애니메이션이나
게임 이야기를
즐겁게 하는 게
더 꼴보기 싫다고
여겨졌나 봐.

그건 당신의
피해망상
아닐까?

그것 때문에 집요하게 괴롭힘을 당했는데도?
오타쿠를 관둔 척 했을 뿐인데, 바로 괴롭힘을 당하지 않게 됐는데도?

….
즉, 그런 어릴 적의 울분이 사와무라 양의 창작에 대한 동기야?

아니야. 19금을 그리는 건 잘 팔려서야.
…윽?!
대앵

조금이라도 당신의 마음을 이해하려고 한 내가 바보였어.
스—륵…

하지만 그건 너도 마찬가지 아니야?

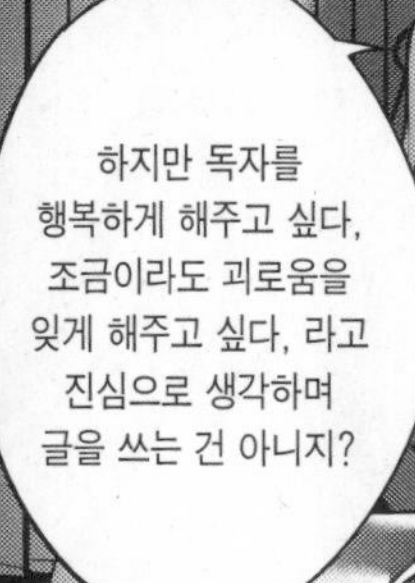
나는 인기를 얻고 싶어서 글을 쓰는 게….
하지만 독자를 행복하게 해주고 싶다, 조금이라도 괴로움을 잊게 해주고 싶다, 라고 진심으로 생각하며 글을 쓰는 건 아니지?

…어째서 그런 걸 단언할 수 있는 거야?
그야 너는 남을 좋아하지 않잖아.
아니, 남들을 깔보기만 해.

당신이…
나의 뭘 안다는 건데? 사와무라 양.
—하고 논파하려고 하기 때문일까….

네 책이 독자를 감동시키는 건 단순히 능력 덕분이지?
재능 덕분이지?
결국 너는 남의 감정을 자신의 테크닉으로 흔들 뿐이야….
거기에 진심이나 열정은 담겨 있지 않아.
항상 차분하고, 냉정하게, 중요한 장면에서 작품 안의 텐션을 끌어올릴 수 있는 거야.

자신의 작품에 빠져 있을 뿐인 작가라면 그럴 수 없어.
머엉
사와무라 양…?
만약 빠져 있더라도 그건 계산된 행동이야.
자신의 작품에 감동한 자신을 컨트롤해서, 더 좋은 작품을 만들기 위해 계산적으로 행동하고 있는 거야.
괜히 감동했어(속았어)….

이렇게 속이 시꺼먼 사람이 진심으로 소설을 쓸 리가 없어.
자신의 체험을, 피를, 살을, 잘라서 팔 리가 없어….
그래…. 이게….
진심 어린 의견….
독자로서… 크리에이터 로서의….
2차 창작 에로 작품을 파는 작가한테 그런 말을 들어봤자 아무렇지도 않아.
대앵
시끄러워!
하지만 재미있는 의견이네. 어찌 보면 최고의 칭찬일지도 몰라.
칭찬 아니거든?!

하지만
자기 생각대로
독자의 감정을
컨트롤할 수 있다면,
최강의 작가가
아닐까?
…그건
그래.

그럴 수 없으니까
작가란 인종이
잔뜩 있는 거고,
성공하는 사람은
극히 일부뿐인 거야.

하지만
독자(토모야) 한 사람을
조종하는 건
어렵지 않지?
…무슨 말인지
모르겠네.

단 한 사람의
의견에 따르며,
그 사람이
바라는 대로
이야기를
풀어 나가서
더욱 자신에게
빠지게 만드는
거야….
그럴 생각
아니야?
발끈
뭐…
라고?
남자를
뜻대로
조종
하려는
거잖아.
그
테크닉으로
말이야!

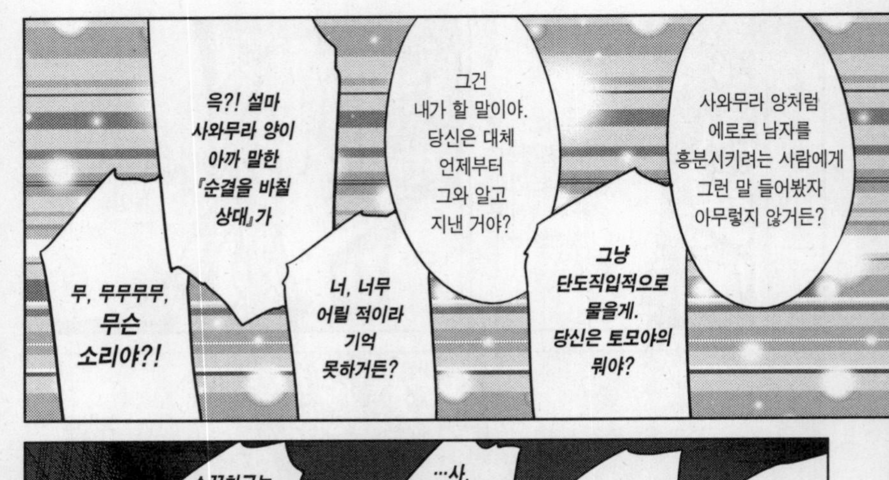
사와무라 양처럼 에로로 남자를 흥분시키려는 사람에게 그런 말 들어봤자 아무렇지 않거든?
그냥 단도직입적으로 물을게. 당신은 토모야의 뭐야?
그건 내가 할 말이야. 당신은 대체 언제부터 그와 알고 지낸 거야?
너, 너무 어릴 적이라 기억 못하거든?
윽?! 설마 사와무라 양이 아까 말한 『순결을 바칠 상대』가
무, 무무무무, 무슨 소리야?!

아까 자기 입으로 말했잖아!
몰라! 나는 아무 말도 안 했어!
소꿉친구? 역시 너희는 소꿉친구 사이구나?!
그게 어쨌다는 거야?!
…사, 사람 인연은 시간만으로 잴 수는 없거든?
…한눈에 빠진 사랑일수록, 사랑에서 깨는 것도 순식간 이라던걸?
소꿉친구는 애니메이션 이나 게임에서 대개 패배자 캐릭터지?
연상 캐릭터가 메인 히로인이 되는 작품은 손에 꼽을 정도야!
이럴 생각이 아니었는데…. 싸우러 온 게 아닌데, 나 왜 이러는 거야….
아아, 정말, 사랑메트의 작가가 눈앞에 있는데, 나 지금 뭐 하고 있는 거야….

금발 외국인 캐릭터는 캐릭터 밸런스를 잡기 위해 순위가 뒤로 밀려.
흑발 롱헤어 캐릭터의 사랑은 너무 지독해서 주인공을 불행하게 만들기 십상이야.
그 소재, 아까 써먹었거든?! 작가 주제에 같은 소재를 두 번이나 쓰는 거야?!
그 동인지 이야기는 평생 못하겠네.
진짜로 지독할 정도의 사랑을 해서 주인공의 걸림돌이 되는 건 보통 소꿉친구잖아!
평생 사인을 못 받겠어.
하지만…
그건 그렇고…
이 애, 정말 못났네. 이 사람, 정말 못났어.
이리하여 토요가사키의 2대 크리에이터는 만났고
서로에게 사인을 받는 걸 포기했다.

하지만
1년 후—.
사인 색지?
…사와무라 양과 내가?
응. 겨울 코믹마켓에 나가기로 결정됐으니까, 결의 표명 같은 느낌으로 말이야!
한 가운데에 에리리의 일러스트, 오른편에 사인.
그리고 왼편에 우타하 선배의 사인을…
괜찮잖아? 서클 멤버 모두의 보물이 될 거야….
그런데, 서클 소유인 색지를 어디에 장식할 생각이야?
아, 그리고 일러스트 캐릭터는 메구리로 부탁해!
뭐? 게다가 나는 일러스트까지 그려야 하는 거야?
…아, 아하하~. 여기에 장식하는 건 무리일 테니까, 어쩔 수 없이 우리의 제2부실 격인~!
…즉, 윤리 군의 방이라는 거네?
뭐야. 그 Win-Lose-Lose같은 거래….
너 혹시 이 색지를 인터넷 옥션에 올려서 팔 생각인 건 아니지?

내가 그런 짓을 왜 해!
두 사람의 합동 사인이 나에게 있어 얼마나 가치가 큰 건데!
토모야….
윤리 군….

우오오
아무튼 부탁해! 우리 서클의 증표를 남기고 싶단 말이야!
이 부탁을 할 기회를 쭉 노렸단 말이야.
오오오오오오오오

정말, 토모야는 못 말린다니깐.
사와무라 양. 그런 말 하면 안 돼.
무지막지하게 못난 여자의 향기가 나….
아, 괜찮다면 나도 한 장 그려주면 안 될까?

메구미…. 그건 괜찮은데
응…. 괜찮기는 한데….
언제부터 있었던 거야…?

그럼 내가 편의점 가서 색지 사올게.
아, 기다려!

내 것도
내 몫도
한 장 부탁해.
■END■

시원찮은 그녀(히로인)를 위한 육성방법

사와무라 스펜서
에리리와
카스미가오카
우타하.
토요가사키
2대 미녀가
만난 지 1년 후.
두 사람은
아키 토모야의
권유로
그의 동인
게임 서클
「blessing
software」에
참가한다.
cherry blessing
~돌고 도는 은혜의 이야기~
blessing software
같은 해
겨울 코믹마켓,
어찌어찌 완성된
게임을 가지고
서클 멤버들은
약속의 땅—.
빅사이트에
와있었다.

4

동1
웅성
웅성
웅성
곧
개장하네.
슬슬 부스로
돌아갈까.
준비 중인 사람들
(주로 토모야)
척
척
척
부스 준비를
다른 멤버에게 떠넘겼다.
또각
또각
또각

너,
카스미
우타코지?

끄
오
오
오
오
오
…그러는
당신은
누구죠?

준비회에
네 사인회에
갈 정도의
광팬이 있거든.
그 애가
방금
가르쳐줬어.
팬?

응.
『blessing software에
진짜로
카스미 우타코가
와 있어!』하며
총본부에서
떠들고 있거든.
찌릿
…….

아, 나는
딱히 떠벌리고
다닐 생각이
없으니까
안심해.
그냥 잠시
이야기를
나누고 싶을
뿐이야.
…당신도
준비회
사람인가요?

아니.
키
이
이
나는
당신의
평범한
팬이야.
이
이
거짓말.
이
이

그런데 무슨
일이죠?
이이
이
저는 슬슬
서클에 돌아가야
하는데요.
이
이
이이
잉

cherry blessing
~돌고 도는 은혜의 이야기~
blessing software
괜찮으면 여기에 사인을 해줬으면 하는데…
!
어때?
스윽
휙
미 미 미 미 미
그걸 어떻게 손에 넣은 거야?
미 미 미
뭐, 인맥과 정보망을 동원했다고나 할까?
아직 개장 전이잖아…. 준비회에 제출한 샘플과 인근 서클에 인사 삼아 나눠준 게 전부인데….
미 미 미 미 미
앙

당신….
오래간만에 미소녀 게임을 즐겼어….
고전적인 느낌이 물씬 나는 좋은 작품이던걸.
cherry blessing
달칵
달칵

…이미 플레이 해본 거야?

루트 하나만 말이야.

거짓말이지?

왜 그렇게 생각해?

뻔하잖아…. 『cherry blessing』의 시나리오 용량은 2메가가 넘어.
서브 히로인의 한 루트만으로도 500킬로바이트를 가볍게 넘는단 말이야.

스킵 속도를 좀 더 올려 줬으면 좋았을 거야.
그랬으면 한 루트 정도 더 해볼 수 있었을 거야.
…설마, 올 스킵으로 CG만 본 거야?
응?
에이. 텍스트를 전부 읽었어.

그러니까, 그건….
거짓말이라고 생각해?

….

인생을 바쁘게 살다보면 그 정도는 할 수 있게 돼.

…그런 플레이는 모독이야.

그러니까, 그런 건 불가능….

크리에이터의 의도한 플레이 방식은 아닐지도 모르지.
하지만 가능한 한 그에 맞추려고 했어.

처음에 나온 BGM을 한 번 반복해서 들어두는 거야.
무슨 소리….
그리고 음악의 길이와 그 신에서의 텍스트 총량을 통해 신의 예상 플레이 시간을 산출한 후
머릿속으로 그와 같은 속도의 시간축으로 재구성하는 거지.
그러면 크리에이터가 노리고 만든 연출을 그대로 즐길 수 있어.
뭐, 내 시간축 안에서만 통용되는 이야기라서 다른 사람에게 설명하는 건 좀 힘들지만 말이야.
…무슨 말을 하는 건지 이해가 안 돼.

추천은 안 해.
아무나 할 수 있는 것도 아니거든.
나한테 시비를 거는 거야?

아까도 말했지?
톡
톡
톡
나는 카스미 우타코의 평범한 팬이야.

그런 말도 안 되는 변명….
타악

오싹…
그리고 카시와기 에리의 팬이기도 해.

두근 두근 두근
당신
대체
누구야…?
딸깍

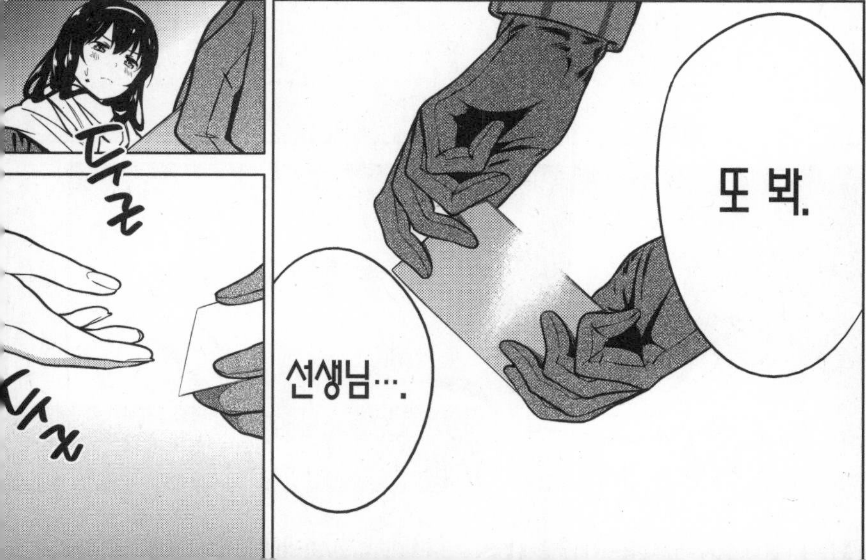
두근
또 봐.
선생님….
사삭

또각
또각
또각
또각
또각

명함에는 직함이 적혀 있지 않았다.

『쿄사카 아카네』

만남
화해
엇갈림
충돌
겨울 코믹마켓은
젊은
크리에이터들에게
다양한 『시작』을
안겨 주었다.

그리고 다음 해.
2월.
그것보다 갈 거야? 안 갈 거야?
뭐, 일단 끝내고 생각하자.
다 끝나면 아키하바라든, 나스 고원이든, 어디든 좋아.
그래도 나스는 패스.
아하하. 그래.

뭐, 이쪽은 이런 느낌이야. 그럼 끊을게.
응. 나중에 봐.
요즘 들어 이틀에 한 번은 이랬다.
오늘도 실컷 이야기를 나눴다.
……
머엉
얼마 전까지는 『조금만 더…』 하고 말하지 못했는데

좋아!

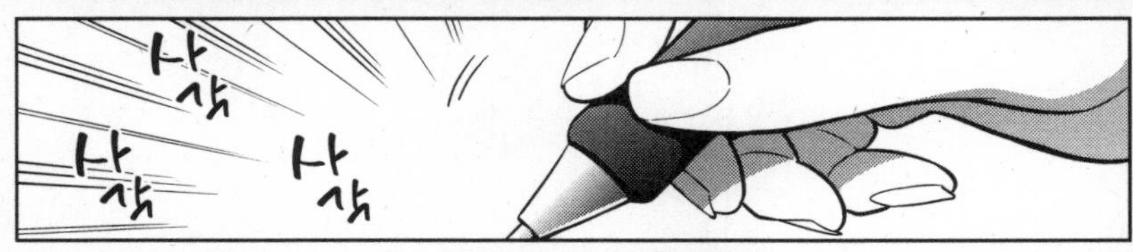
사각
사각
사각

어?
뭐지?
이상하네…?

사각
사각
사각

…이게
뭐야?

사각
사각
사각
사각
사각

이게
뭐야….
나스
고원 때 같은
그림을 그릴 수
없어….

시청각교실

그럼 교무실에 다녀올게.
드르륵
드르륵
드르륵
잘 들어, 토모야.
괜한 변명이나 주장을 늘어놓지 말고, 사과만 해.
…알았어. 패배를 경험하고 올게.
좀 있다 봐.
터벅
터벅
설마 불시 소지품 검사에 걸리다니….
아키 군, 이게 뭐야?
이건 『그 눈의 프리즘~ white
나중에 교무실로 와.
…예.

정말,
어이없는 실수를
다한다니깐….
…단순히
운이
나빴던 게
아닐까?
만약 소지품 검사를
윤리 군의
반이 아니라
당신 반에서 했다면,
지금쯤 교무실에
불려가는 건
당신이었을 거야.

시끄럽네….
애초에 윤리 군이
가지고 있던
게임 소프트는
어차피 당신에게
빌려주려고
가지고 온 거지?
완전
공범이네.
…그렇지만
초판
특전 예약을
놓쳤단 말이야.
게다가
나한테는
교내에서의
이미지라는 게
있어~.

요즘은 위장이
꽤 벗겨진 것
같던데?
슬슬
손을 쓰지 않으면
들통날걸?
딸깍
정말
시끄럽네~.
너, 빨리
가버려.
덜컹

당신이야말로 서클 활동이 끝났는데도 집에 가지 않는 거야?
남이 뭘 하든 신경 쓰지 마.

혹시 윤리 군을 기다리는 거야?
흠칫
…신경 쓰지 말라고 방금 충고했을 텐데?
뜨끔

당신, 지금까지 『함께 하교하다 친구라는 소문이라도 퍼지면 부끄럽다』면서 남들 앞에서는 윤리 군과 이야기도 나누지 않으려고 했지? 그런데 요즘 들어 꽤나 우호도와 두근두근도가 올라간 것 같네.
…하지만 알고 있어? 두근두근도가 올라갈수록 폭탄이 터지기 쉬워.
나는 너와 달리 나쁜 소문이 퍼지지는 않으니까 문제될 게 없어!

역시 윤리 군을 기다리는 거네. 결국 밤늦게까지 그는 돌아오지 않고, 분노에 사로잡힌 당신은 책상을 걷어차며 화풀이를 한 후, 울면서 돌아가겠지….
…아아, 불쌍한 불행 계열 소꿉친구….
고오오오오오오오

그렇지 않아!
금방 돌아오겠다고 약속했단 말이야!
울

흐음,
약속했어?
언제?
몰래?
콕
불만이라도 있어?
내가 누구와 같이 하교하든, 카스미가오카 우타하와는 상관없잖아.
찌릿

확실히 나와는 상관없지만, 그러다 친구에게 걸리면 어떻게 할 거야?
올해 들어 사와무라 양은 변했다.
그런 걸로 이상한 오해나 하는 녀석들을 친구로 인정할 거라고 생각해?
윤리 군과의 관계를 절대 부정하지 않았다.

놀림을 받아도, 져도, 울음을 터뜨릴 지라도
어딘가 안절부절 못하면서
왠지 즐거운 듯이
그리고 자랑스러워 하면서 말이다.
하지만 그 변화는 긍정적인 것처럼만 보이지는 않았으며.
그건 그렇고…
사와무라 양…
새 패키지의 그림은 언제 완성돼?

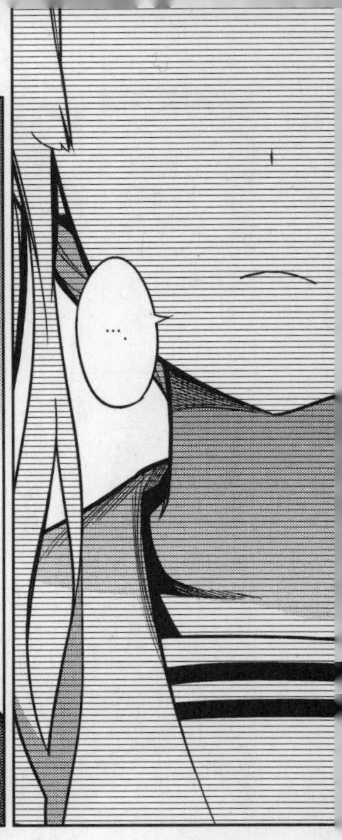
….

뭐, 꼭 해야 하는 건 아니야.
하지만 당신이 하겠다고 한 거잖아?
…알아.

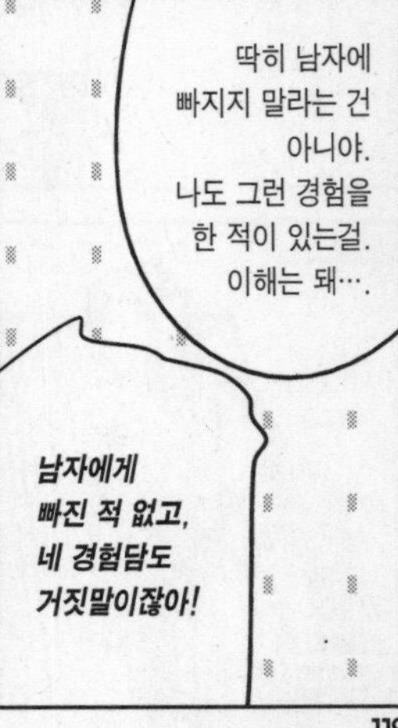
딱히 남자에 빠지지 말라는 건 아니야. 나도 그런 경험을 한 적이 있는걸. 이해는 돼….
남자에게 빠진 적 없고, 네 경험담도 거짓말이잖아!

하지만 동인이든 상업이든, 맡은 일은 제대로 해.
당신은 크리에이터잖아?

…아직 작년 말에
걸린 감기가
완전히 낫지
않았을 뿐이야.
컨디션만
회복되면
금방….
새해가 되고
한 달 넘게
지났는데도?
나, 어릴 적에는
한 달 넘게
쉴 때가
많았어!
입원도 한 적
있단 말이야!

이상해….
아무리
촉박한
상황에서도
마감을
지키려고
최선을
다했으며,
작년에는
이렇게
간단히
포기하지
않았다.
아무리
실패해도
전부 자신의
책임으로
여기면서
변명을 하지
않았다.

아니야.
그녀가
말한 것처럼
감기 때문에
정신적으로
약해졌을
뿐이야.

…그럼
빨리 나아.
나도
알거든?

?
그런데
아까부터
뭘 읽고
있는 거야?
『그 눈의
프리즘
~dear my
old friend~』
마리코 루트의
스핀오프
만화책이야.
…사와무라
양의
그런 구석은
전혀 변하지
않네.
■END■

시원찮은 그녀(히로인)를 위한 육성방법

5

마르즈?
응.
오사카에 있는
게임 회사야.
마르즈는
알지?
아무리 독서와
연하 남자애한테만
관심이 있는
시~ 양이라도
…사람을 속세를 떠난
쇼타콤 취급하지
말아주세요.
후시카와 서점 판타스틱 문고
카스미 우타코 담당 편집
마치다 소노코

마르즈의
게임 중에
『필즈 크로니클』
이라는
시리즈가 있어.
아무리 독서와
한 살 연하의
같은 서클
남자애한테만
관심이 있는…
그 말은
이제
됐어요.

그 게임에
참여해 줬으면
한대.

누가요?
마르즈가.
누구
에게요?
카스미
우타코
선생님에게.

….
아~. 왜 이 이야기가 우리에게 온 거냐면, 사실 우리도 이 시리즈에 옛날부터 관여해 왔거든.
노벨라이즈나 잡지 같은 것도 매번 내고 있어. 아무튼, 여러모로 짭짤한 이득을 내고 있어.

그런 이야기를 듣고 싶은 게 아니라는 건 알죠?
…응.

왜 제가 『필즈 크로니클』 제작팀에 뽑힌 거죠?

혹시
캐릭터에 맞춘
노벨라이즈
의뢰인가요??
주인공 파티의
일상 풍경을
그리는
치유계 같은
느낌의 작품
말이에요.
보통 그렇게
생각하는 게
정상이겠지?

아니야.
그런 레벨의
이야기라면
『받아들 수도 있지만
게임이 발매되고 1년 후
에나 나올걸요?』 같은
소리를 하면서
거절해 버렸을 테지만
제발 부탁이니까
그런 식으로
거절하지 말아요.
작가의 평판에도
영향을 끼친단
말이에요.

어험...

최신작의 메인 시나리오를 맡아 달래.
…
…예?

지금, 우리 회사 상층부 쪽에서는 완전 축제 중이야….
이 시리즈는 원래 각 회사 간의 출판권 경쟁이 격렬하거든.
그런 돈 덩어리 타이틀의 게임 본편에 후시카와의 전속 작가가 참여한다면, 어드밴티지는 상상을 초월할 거야.
그러니까, 왜 그렇게 된 거죠?
…제가 후시카와 전속이라고 말한 것 같은데, 그건 또 무슨 소리예요?
꾸욱
꾸욱
그리고 제가 묻고 싶은 건 그런 게 아니라….
꾸욱
동인 활동 때문에 마감을 어겨도 관대하게 봐줬던 걸 잊은 거야?!
지금은 이런 분위기를 못 견디겠어!!
나와 시~ 양 사이잖아?!
찌

안 그래도 저와 판타지RPG라는 조합이 이해가 안 되는데
아예 메인 시나리오 담당? 그야말로 말도 안 되는 발탁이잖아요.

발탁이라는 말은 보통 말도 안 되는 인사(人事) 때나 쓰이는 거야.
나의 부편집장 취임 같은 것도 포함해서 말이야.

마치다 씨도 저한테 그런 건 무리라고 생각하죠?

….
마치다 씨?

나는
카스미
우타코의
재능은
그런
좁은 장르 정도는
얼마든지 자기 걸로
만들 수 있다고
생각해.
으…,

당신이 노력가에
항상 작품 연구에 열심이며,
소설을 집필하면서도
전교 1등을 유지할 만큼
짜증나는 근성의
소유자라는 걸 알아.
그러니
『판타지RPG
시나리오 같은 건
식은 죽 먹기예요』
하고
상층부에도
말하고 싶어.
…제가
그 의뢰를
맡았으면
하는 건가요?

그럴 리가
없잖아!

넌 내가 찾아냈어. 그리고 지금까지 2인3각 체제로 함께 노력해 왔잖아?
이제 와서 뒤늦게 나타난 새로운 보스 같은 녀석에게 너를 빼앗기는 걸 어떻게 납득해?
납득할 수 있을 리가 없잖아.
마치다 씨….

알았으
니까

그만해요.

절대 시키고 싶지 않아.
스윽…
하지만
나 한 사람의 뜻만으로는 그럴 수 없어….
이건
그런 레벨의 안건이야.

그래도
납득이
안 돼요.
왜
저인
거죠?

그건
나도 몰라.
그러니 직접
상대방을 만나서
이유를
물어보도록 해.
하지만 저는
소설가잖아요?
대체 왜
게임 오퍼가….
두
근
근

마치다
씨….
저한테
오퍼를 넣은 건
구체적으로
누구죠?
…동인도,
상업도
그리고
그 이면의
어둠조차도 전부
아는 프로 중의
프로야.
딱 한 명…
그 사람의
이름이
떠올랐다.

코사카
아카네…….

맞아….
알고 있었구나.

알고 있었던 것은 아니다.
하지만 힌트라면 곳곳에 존재했다.
『rouge en rouge』의 초대 대표이자 지금도 서클에 강한 영향력을 행사하고 있는 인물.
후임인 하시마 이오리와 우리 서클은 적대했으며
우리가 게임을 완성하기 전부터 훼방을 놨던 걸지도 모르는 인물.

그럼
시 양….
혹시 이것도
알고 있었어?

카…
카스미가오카
우타하?!
윽….

그러고 보니
1년 전에도
미술준비실
앞에서
잠복하고
있었잖아.
뭐, 뭐야,
잠복하고
있었던 거야?!
너희
서클의
시나리오라이터만이
아니라,
일러스트레이터도
표적이 되었어.

이번에는 뭐야?
나와 토모야가 같이
하교하는 걸 질투해서
『어차피 맺어질 수 없다면
너희 둘 다
망가뜨려 버리겠어!』
같은 소리를 하며
준비해둔
양아치들이
토모야가
보는 앞에서
나를….
사와무라
양.

오늘은
나와 함께
돌아가자.
카시와기
에리한테도
오퍼를
넣었대….
…뭐?
■END■

6

그래.
너한테도
오퍼가
갔구나….

그렇다면 진짜로
사와무라 양에게도
오퍼가 들어왔던
거구나.

카메다 커피점
응….
마르즈의
개발 본부장인
타네모토라는
사람한테 연락을
받았는데…
위키로 검색해 보니
『필즈 크로니클
시리즈 총괄』이라고
적혀 있었으니까
아마 사기는
아닐 거라고
생각했어.

그럼 사와무라 양…
당신은 답을 했어?
쭈욱
아직이야.
그랬구나….
푸하~
나는 지금까지 여자애, 그것도 19금만 그렸는데…
느닷없이 『필즈 크로니클』의 캐릭터 디자인을 맡아 달라고 해도….
과연 그럴까? 그 게임의 인기 요소는 캐릭터니까
카시와기 에리를 선택한 것도 납득은 돼…
뭐, 실력 운운은 제쳐두고 말이야.
울컥

맞아.
실력 운운은
제쳐두더라도,
왜 카스미
우타코에게
오퍼가
들어간 건지는
눈곱만큼도
이해가 안 돼!
움찔

하지만
네 말을 듣고
이해했어.
그래.
흑막은 코사카
아카네였구나.

그런데
사와무라 양….
당신은 어쩔
생각이야?
맡을 거야?
거절할 거야?
응?

어쩔
생각이냐니…
설마 너,
망설이고
있는 거야?

…응.

뭐, 뭐어,
카스미가오카
우타하가
망설이는 것도
무리는 아니야.
…곧
졸업하는데,
마음에 둔
남자는
나…
다른 여자에게 빠져
자신을 쳐다봐주지 않잖아.
앞으로는 일에 빠져서
쭉 독신으로 살며
혼자 술집에나 가서
『남자 따위~!』 같은
한심한 소리나 하는 인생을
살더라도 전혀 이상하지 않아.
힝잉
왜 당신은
자신에게
유리하도록
자연스럽게
필터 처리를
하는 거야?

네 쪽은
후시카와
서점과
얽힌 거구나.
아하~.
일단
데뷔 때부터
신세를 진
회사야.

뭐, 아무튼 조건 같은 걸 들으면 마음이 변하지 않을까?

하지만 나는 그렇게 궁핍하지는 않아…. 뭐, 당신만큼은 아니지만 말이야.

돈을 떠나서, 기획 내용이 좋거나, 경력상 좋을 것 같다거나, 다른 스태프 중에 엄청난 멤버가 있다면….

캐릭터 디자인 제1후보가 카시와기 에리인 시점에서, 스태프 구성에 대한 기대감은 사라졌어.
으윽
나도 시나리오라이터 제1후보가 카스미 우타코라서 거절하려는 거야.
방금 알았지만 말이야…!

하지만 경력으로 본다면 확실히 매력적이네.
코사카 아카네의 부품으로서의, 경력이지만 말이야.
…그럴지도 몰라.

오타쿠 업계에서 일하는 두 사람은 코사카 아카네의 이름과 실적과 실력에 대해 귀에 딱지가 생길 정도로 들었다.

그녀 자신의 빛이
너무 강해서
파트너나 부하를
그림자로
몰아넣고 만다.
작품의 질만이 아니라
프로모션에도
주저 없이 참견하며,
자신의 작품을
팔기 위해서라면
절대 타협하지 않는다.
추구하는 레벨이
너무 높아,
트러블에 휘말린 나머지
그녀의 곁을 떠나거나,
무너져 버리고 만
크리에이터는
셀 수도 없을 만큼
많다.

…내가 같이 가줄까?

사와무라 양이?
응.
그리고 같이 거절하면 되잖아?

그런 인간이 뒤에서 조종하고 있는 이상
혼자서 찾아가 거절해 본들
『아, 예. 그렇습니까.』 하면서 간단히 정리될 리가 없어.

하지만 아무리 같은 서클이라고 해도, 사와무라 양은 다른 방면에서 오퍼가 들어온 거잖아.

그래도 상대는 우리 서클을 노리고 있는 게 틀림없는걸.

그렇다면 윤리 군도 같이 가야 할지도 모르겠네.
토, 토모야가?

계속해서
좋은 조건을
제시하면서
공세를 펼치는
마르즈 측.

난항하는
교섭.

그리고 드디어
『체념하고 만』
내가 승낙하려고
한 순간, 그는…

할 수 있어! 왜냐면 같이 가는 건 나니까!
찰싹
찰싹
토모야가 아니니까!
하지만 당신이 가봤자 의미가….
지금 괜한 걱정을 끼치면 그 녀석, 쓰러져 버리고 말 거야!
찰싹
안 그래도 메구미가 요즘 서클 활동에 참가하지 않아서 힘들어하고 있잖아!
찰싹
…그건, 그래.
윤리 군의 걱정거리는 카토 양 만이 아닐걸?

아무튼 내가 너와 함께 갈 거야!
그러니까 그렇게 걱정하지 않아도
묘한 상황이 벌어지지 않도록 철저하게 가드해줄 테니까 안심해!
찰싹
네가 없어져봤자 나는 전혀 아프지도 가렵지도 않지만, 토모야가 곤란해 할 거란 말이야!

하지만….
상대가 그 어떤 조건을 제시하든, 나는 혼자만의 판단으로 그 상황에서의 최적의 대답을 도출해낼 자신이 있으니까.
혼자서 만나는 편이 훨씬 편했다.

하지만 사와무라 양은…
한 남자애에게 재능을 좌우당할 만큼 의존하고 있는, 약해빠진 크리에이터….

그런 그녀가 동행하는 건….
장소는 어디야? 후시카와 서점의 회의실이라면 나도 한 번 가본 적 있어.
이번 주 토요일이라고 했지?
사와무라 양….

따라오는 건
괜찮지만,
리뉴얼 패키지판의
그림은 다 됐어?
하하하하,
하루 정도
외출한다고
작업에 차질이
생기지는 않아!

…그래.

위-잉
27
철컹
어서 오십시오.

발밑을 조심하세요.

여기는 점심 메뉴도 만 엔은 가볍게 넘는데다, 몇 달 전에 예약해야 하는 유명한 가게잖아.
상대가 우리를 몰아붙이려는 게 확실히 느껴지네.
잘 아네.

아빠가 영국에서 온 내빈을 대접할 때 자주 이용하는 가게야.
어릴 적에 몇 번 따라온 적이 있어.
뭐, 평소에 정크푸드만 먹는 카스미가오카 우타하는 모르겠지만 말이야.
…당신도 평소에는 페트병 홍차에 프렌치프라이 포테이토만 먹잖아. 이 가짜 영국인.

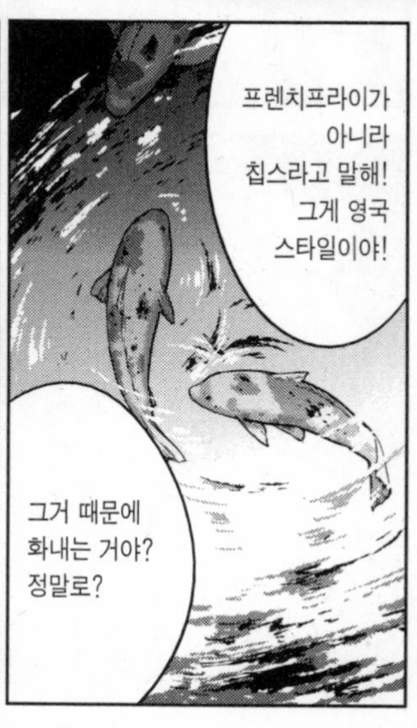
프렌치프라이가 아니라 칩스라고 말해! 그게 영국 스타일이야!
그거 때문에 화내는 거야? 정말로?

그런데 네 담당 편집자는 안 와?
오늘은 결석한대. 그러니 클라이언트 이외에는 나와 당신뿐이야.

즉, 상대는 체면 따위 차리지 않겠다는 거구나.
…그럴지도 몰라.

여고생 한둘 정도는 간단히 회유할 수 있다고 생각하는 거야.
완전 얕보고 있잖아. 이제부터 같이 일할지도 모르는 사람을 말이야.
마음에 안 들어.
어차피 거절할 거니까 마음에 들어봤자 거북할 뿐 아닐까?
어떻게 박살을 내줄까….
그래. 우선 요리 가지고 트집을 잡는 거야.
『어머, 이 푸아그라는 예전에 비해 맛이 나빠졌네. 수입 아니야?』는 어떨까?
허세 부리지 마. 푸아그라와 모래주머니도 구분 못하잖아.
그 정도는 해! 씹었을 때 질겅질겅 거리는 게 모래주머니잖아!
평범한 부르주아는 그런 이상한 의성어를 쓰지 않아.
애초에 푸아그라는 프렌치용 식재료이니 수입이 본고장 식재료잖아.
손님, 이쪽입니다.

다른 한 분께서는
이미
와 계십니다.

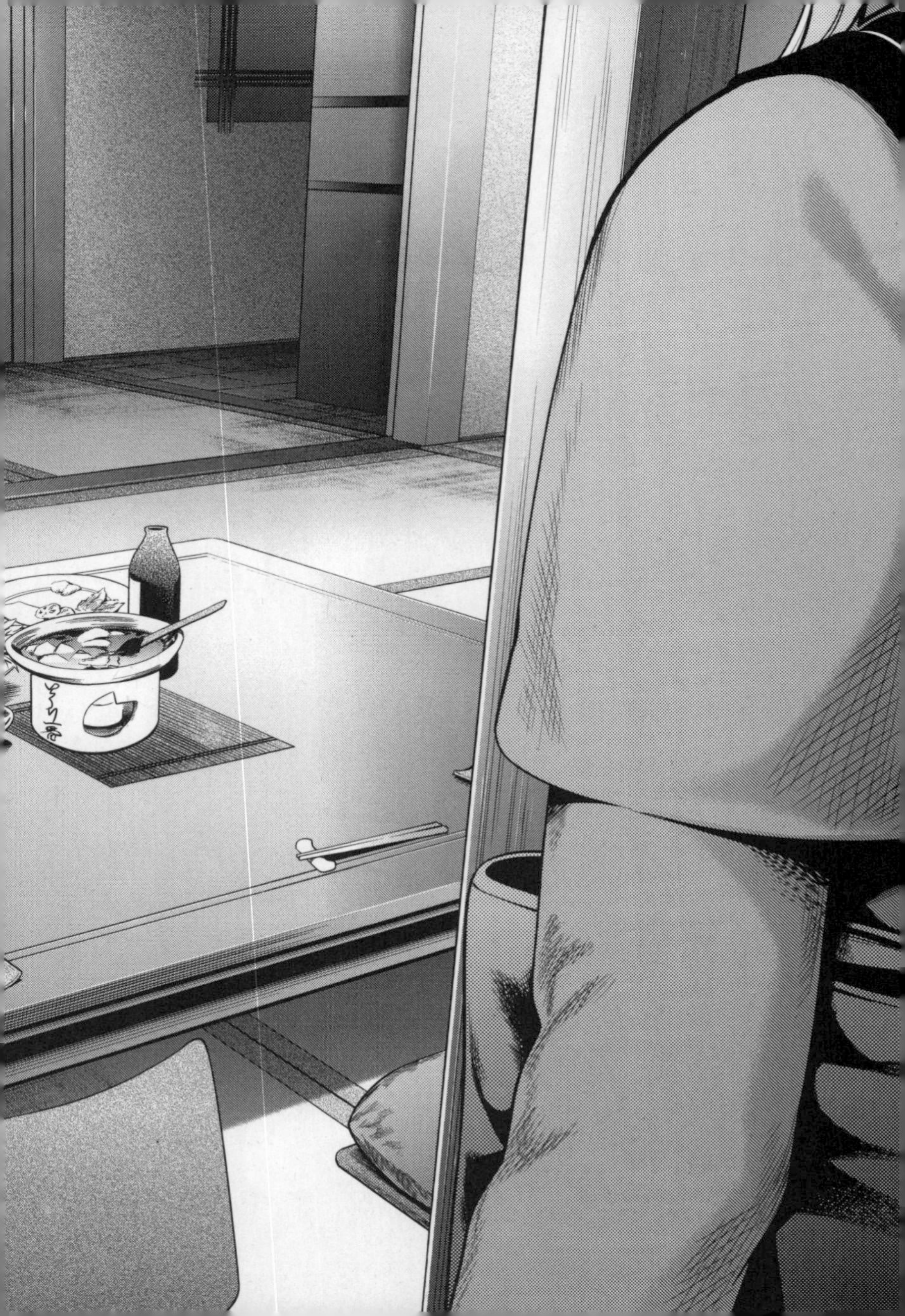

씨익…!
■계속■

시원찮은 그녀(히로인)를 위한 육성방법

시원찮은 그녀를 위한 육성방법 GS 1

초판 1쇄 발행 2019년 10월 10일

작화_ TAKESHI MORIKI
원작_ FUMIAKI MARUTO
캐릭터 디자인_ KUREHITO MISAKI
옮긴이_ 이승원

발행인_ 신현호
편집장_ 김은주
편집진행_ 최은진 · 김기준 · 김승신 · 원현선 · 권세라
편집디자인_ 양우연
내지디자인_ CMY그래픽
국제업무_ 정아라 · 전은지
관리 · 영업_ 김민원 · 조은결 · 조인희

펴낸곳_ (주)디앤씨미디어
등록_ 2002년 4월 25일 제20-260호
주소_ 서울시 구로구 디지털로 26길 111 JnK디지털타워 503호
전화_ 02-333-2513(대표)
팩시밀리_ 02-333-2514
이메일_ lnovelpiya@naver.com
L노벨 공식 카페_ http://cafe.naver.com/lnovel11

ISBN 979-11-278-5282-5 07830
ISBN 979-11-278-3865-2 (세트)

값 5,000원